Azules y Blancos

Royo

CONTENTS | CONTENIDO

Artist's studio, Villamarchante, Valencia

Foreword

Introducción by Felipe Vicente Garín Llombart

Royo's paintings

Bearing in mind the direction Royo has taken in this new exhibition, it is not out of place to preface it with a short introduction to Valencian painting, which the artist's works to a certain degree represent. Valencia's artistic tradition can effectively be traced in a clear line of descent from the fifteenth century to the present day. However, without going back too far, we can cite a particular high point: the nineteenth and twentieth centuries, dubbed the Silver Age of Valencian painting by a number of critics, and comparable in some ways to the Golden Age of the fifteenth and sixteenth centuries. During that long period from the start of the 1800s to the end of the 1900s there were many renowned Valencian painters, some of whom will be mentioned by name below, who developed significant techniques. These include superb draughtsmanship, brilliant use of colour and a wide range of subject matter, from the most intimate to the

Felipe Vicente Garín Llombart with Royo in his studio, Valencia, 2010

A propósito de la pintura de Royo

Si tenemos en cuenta el destino de esta nueva exposición de Royo, no nos parece superfluo hacer una pequeña introducción de la pintura valenciana en la que de alguna manera se inserta la obra de nuestro artista. En efecto, la tradición pictórica en Valencia mantiene una línea bien notoria desde el siglo XV hasta nuestros días, pero sin que deseemos arrancar demasiado lejos, sí que debemos tener en cuenta sin embargo el auge de la pintura del entre siglos XIX-XX, que algún crítico ha llegado a llamar «la edad de plata de la pintura valenciana» por contraponerla, de algún modo, con la llamada «edad de oro» que sería la de los siglos XV y XVI. En ese amplio periodo a caballo entre el ochocientos y el novecientos del pasado siglo, tenemos nombres ilustres de pintores valencianos, algunos de los cuales citaremos más tarde, que configuran unas características plásticas significativas, como son un dibujo muy correcto, un brillante color y una temática muy variable, que oscila desde el intimismo más acusado a la espectacularidad más notoria y que empiezan ya a aproximarnos a alguna de las notas de nuestro artista. Sin duda, en ese auge mucho tiene que ver la solidez de las enseñanzas de la Escuela de Bellas Artes de la ciudad, con profesores que dominan el oficio y que enseñan un lenguaje que después cada alumno desarrolla a su manera con más o menos éxito.

Ciertamente que Royo es heredero indirecto de esa buena formación, no tanto por sus estudios en la Escuela, que fueron parciales dado que no acabó de encontrar en ellos el resultado que apetecía, sino por lo que le enseñó muy directamente un profesor del centro llamado Adolfo Ferrer Amblar. En efecto, Royo prefirió, como los artistas de siglos anteriores, el aprendizaje directo desde un taller, el contacto íntimo con un profesor que además se convertía en confidente, amigo y referencia, máxime si

blatantly spectacular, and they have echoes in Royo's art. Undoubtedly, the solid training offered by the Academy of Fine Arts in Valencia was greatly influential during this period of artistic growth, with teachers who were masters of their art and who taught in a way that enabled students to develop their own style with greater or lesser success.

Joaquín Sorolla y Bastida | *Mi mujer y mis hijas en el jardín*, 1910
oil on canvas, 166 x 206 cm, Masaveu Collection, Oviedo

Royo certainly came into this good inheritance; not only did he attend the Academy (briefly, since it did not fulfil his expectations), but he studied closely with one of its professors, Adolfo Ferrer Amblar. Like so many artists of the past, Royo preferred to take up an apprenticeship in a studio and to work in close contact with a teacher who was also a friend, a confidante and a point of reference. Furthermore, Adolfo Ferrer was the son of another great Valencian painter, Pedro Ferrer, who supremely depicted the enormous, dramatic compositions of his age. Even now, at the height of his mature style, Royo likes to recall the teachings of Adolfo Ferrer and the impact they had on his early work. Sometimes people underestimate the influence on artists of their contemporaries or of earlier painters, known from books or from visiting local museums. Yet these elements are essential to understanding Royo. I can testify to his excellent library with its well-thumbed and re-read books, and also to the emotions aroused in him by certain paintings at Valencia's Museum of Fine Arts, which I witnessed when I went there with him. These included works by Ribera, Ribalta and Goya and Velázquez's self-portrait, which we are fortunate to have so nearby. Not to be forgotten among more recent painters is the brilliantly colourful work of Sorolla – often mentioned by critics in relation to Royo – and for

tenemos en cuenta que el mencionado Adolfo Ferrer era asimismo hijo de otro gran pintor valenciano, Pedro Ferrer, dominador de las grandes y a veces dramáticas composiciones tan del gusto de su época. Aún hoy, en el periodo de plena madurez de nuestro artista, gusta en recordar el impacto y la enseñanza que le causó su trabajo juvenil con Adolfo Ferrer. Se omite a veces en esa formación de los artistas el influjo que ejercen en ellos los contemporáneos o los pintores de siglos anteriores conocidos por los libros o por las visitas frecuentes a los museos más próximos. Esa circunstancia es esencial en Royo. Doy testimonio de su excelente biblioteca, de esos libros usados, leídos y consultados, de la misma forma que no puedo ocultar la emoción que aún hoy le producían ciertas obras del Museo de Valencia cuando tuve la ocasión de acompañarlo no hace demasiadas semanas: Ribera, Ribalta, Goya o el propio *Autorretrato* de Velázquez que tenemos la fortuna de poseer tan cercanamente. Y más recientes, no se puede olvidar la brillantez del color de Sorolla —ya apuntado por algún crítico al hablar de Royo— y, sobre todo para mí, la finura compositiva y la sensibilidad colorista de nuestro artista que debe relacionarse con otro pintor valenciano de ese momento como es Ignacio Pinazo.

Al conocer más profundamente la pintura de Royo, me ha sorprendido una característica suya muy acusada como es la realización de grandes series temáticas. Eso le permite, como a los compositores musicales con sus variantes, abordar mil y un matices, cada vez diferentes y cada vez más sutiles, completando ciclos compositivos coherentes que tienen un doble valor: como

me, especially, Ignacio Pinazo, another Valencian painter of that time; our artist's fine composition and colour sensibility can be compared with his.

On getting to know Royo's work in greater depth, I was surprised by a striking characteristic: the way he creates large thematic series. Like a composer writing musical variations, this allows him to employ a thousand and one shades, each different and ever more subtle, and to complete coherent cycles of composition with double value – as groups and, also, as individual pieces. I remember two of those series with particular interest. One is 'Sagittas', where the rhythm marked by the ever-present bow and arrows gives it a sense of movement in space with extraordinary dynamism. However, it is undoubtedly the other series, 'Ingrávidos', that has most impressed me with the impact of his work. I have been able to admire almost all of 'Ingrávidos' at his home, which is half studio, half museum. His figures suspended in space, miracles of painting, and his rhythmic flights of flesh and robes, which mix and mingle with exquisite elegance, make this cycle truly captivating. When I saw it, it brought to mind some old photographs of Pinazo, referred to above, who even went to the length of suspending his children on ropes in order to paint them floating in his famous canvases for the ceilings of Valencian palaces.

Ignacio Pinazo Camarlench | *Panteón de Roma*, 1880 oil on canvas, 32.2 x 19.9 cm, Institut Valencià d'Art Modern (IVAM) Collection

conjunto y también, por qué no decirlo, como piezas únicas. Recuerdo con especial satisfacción dos de esas series. Una de ellas *Sagittas*, donde el ritmo marcado por el arco siempre presente y por las flechas le dan un movimiento en el espacio de un dinamismo muy singular. Pero es sin duda en la otra, *Ingrávidos*, que he podido admirar casi completa en su casa, mitad estudio, mitad museo, donde el impacto de su obra me causó más impresión. Sus figuras suspendidas en el espacio —¡oh, milagro de la pintura!—, sus vuelos rítmicos donde las carnes y las telas se entremezclan con primorosa elegancia, convierten ese ciclo en algo verdaderamente cautivador. No podía olvidar, al verlas, unas viejas fotos del viejo maestro ya citado Ignacio Pinazo, que llegó a colgar de unas cuerdas a sus hijos para poderlos reproducir flotando en sus famosos lienzos paratechos de algunos palacios valencianos.

Nuestro artista, en esta nueva ocasión, se presenta al público jugando con un título tan expresivo como abstracto. Ya no hay «tema», ya no hay casi «asunto». Solo azules y blancos moviéndose con ritmos acompasados entre las túnicas de las muchachas y los fondos de elegancia extrema. De nuevo quiero recordar a Ignacio Pinazo, con sus gamas frías de colores, con sus delicadísimos desnudos.

In this new exhibition, our artist comes before the public with a title as expressive as it is abstract. There is no 'theme', there is almost no 'subject', just blues and whites moving to stately rhythms among the tunics of girls against backgrounds of utmost elegance. Once again this reminds me of Pinazo, with his cold colour palette and unbelievably delicate nudes.

It is a homage to colour – to colour as a vital necessity, as indispensable for life, making it possible to feel happiness, sorrow, strength or driving one to act – colour duly ordered within each work of art, the very opposite of chaos and disorder, its antithesis. Throughout the history of painting, we can observe the increasing importance of the painted surface in relation to the theme or subject. A painting has an innate value which lies in its own rules, its own order, its own life.

Royo reflects these criteria in his work with rhythmic balances of blues and whites, although he cannot resist drifts of flowers that contrast with the faces of the models, all but goddesses, who shyly hide their faces, delicately bashful.

This collection signifies the triumph of painting, the brilliant and luminous painting of our artist, who has found a way for such swathes of colour and harmony to emerge from his comfortable studio in the heart of the Valencian countryside, elegantly displayed on canvases that he now presents to the public.

Felipe Vicente Garín Llombart
April 2010

Es un homenaje al color, al color como necesidad vital, a esa materia indispensable para la vida, que nos ayuda a entender los sentimientos de alegría, tristeza, fuerza o acción, ordenados debidamente en la obra de arte, rompiendo con su antítesis que sería el caos o el desorden. En toda la historia de la pintura, podemos apreciar el progresivo protagonismo de la superficie pictórica frente al tema o el asunto. Un cuadro tiene valor en sí mismo, tiene sus propias normas, su propio orden, su propia vida.

Royo traslada a sus obras estos criterios, esos juegos rítmicos de azules y blancos, aunque no puede evitar en ocasiones efluvios de flores que contrastan con los rostros de las modelos, casi diosas, que parecen ocultar sus rostros con recatada intimidad, casi delicadamente vergonzosos.

Ese es pues el triunfo de la pintura, de la pintura luminosa y brillante de nuestro artista, que ha sabido trasladar, desde su acogedor estudio en plena tierra valenciana, esos retazos de color y de armonía con elegancia a los lienzos que ahora se muestran para pública contemplación.

Felipe Vicente Garín Llombart
Abril 2010

Conversation

Conversación between artist Royo & art critic Carlos García-Osuna

A symphony of whites and an incredible blue

'Art entered my life in a natural way, through story-book illustrations, as happens with many children. However, I was immediately attracted very particularly to colours and shapes. A visit to the Prado Museum at the age of seven was probably the event that triggered my vocation.

'From then on, my whole world revolved around drawing, painting, looking at paintings, visiting museums and attending classes with the best artists in my city. (I still have some of those first efforts). As I grew up, it became clear to me that I wanted to spend the rest of my life with a paintbrush in my hand.' Thus the painter Royo (Valencia, 1941) sums up how painting 'got into his blood' although he was the son of a doctor and his family had no artistic background.

Royo's most recent paintings form a series of canvases with the evocative title 'Azules y Blancos'. 'Combining thousands of whites with an incredible blue and the air that animates them is, for me, the theme of this collection, which encapsulates Mediterranean culture', he explains.

Royo's obsession with light and the human figure is the key to his pictorial language. His unerring technique produces voluptuous, impressionistic images with overtones that suggest Baroque influence. These works have been favourably received in international art circles, where he has been dubbed 'painter of the light'.

Describing how he creates his paintings, the artist points out: 'The whole creative process is a series of linked events relating to the act of painting a picture. This then gives rise to the need

Sinfonía de blancos y un azul imposible

«El arte llegó a mi vida de manera muy natural, a través de las ilustraciones de los cuentos, como podía ocurrirle a cualquier niño. Pero, inmediatamente, los colores y las formas me provocaron una atracción especial. Visitar el Museo del Prado, a los 7 años de edad, pudo ser el acontecimiento que desencadenó mi vocación absoluta.

A partir de ese momento, todo fue dibujar, pintar, ver pintura, visitar museos, acudir a clases con los mejores maestros que encontré en mi ciudad (aún conservo alguno de aquellos primeros trabajos). Conforme iba creciendo, cada vez tenía más claro que quería pasar mi vida con un pincel en la mano», así resume el pintor Royo (Valencia, 1941), hijo de un médico y crecido en el seno de una familia sin antecedentes artísticos, los vericuetos por los que la pintura se introdujo en sus venas.

Las últimas telas salidas del pincel de Royo forman una serie de lienzos que llevan por sugestivo título *Azules y Blancos*: «La unión de miles de blancos con un azul imposible y el aire que lo mueve todo es, para mí, el lema de esta serie que sintetiza el sentir de una cultura: la mediterránea», explica Royo.

La obsesión por la luz y la figura humana son las claves que definen el quehacer pictórico de Royo, dueño de una depurada técnica que se traduce en cuadros de dicción impresionista aderezados de evocadoras notas de barroquismo y voluptuosidad, que han sido positivamente valorados en los foros de arte internacionales haciéndole merecedor del apelativo de «pintor de la luz».

En relación con su proceso creativo, el artista levantino apunta que: «Todo proceso creativo es un encadenamiento del propio acto de pintar un cuadro. Esto genera la necesidad de pintar

to paint another: the mistakes and virtues of one piece are the inspiration for the next. There are no time limits; all your life, themes swirl around in your head which may eventually become series of pictures and sometimes, with great luck, you can concentrate in them everything you have learned up to that point.'

Which of your pictures will you never part with?
I have kept many works from different stages of my life, some because they used key techniques that allowed me to evolve as an artist and others, as one would expect, because of their sentimental value.

I do not 'collect' in the strict sense of the word, but I am fortunate to have pieces by many artists (some the work of friends or colleagues, some bought, and, especially, many by my wife, Marga Llin). I also have many books on art, which are my best sources of reference.

Do you consider yourself a Mediterranean painter? What do you think is your most important contribution to art?
I do the entirety of my work in the fields of Valencia or on the coast of Mallorca, so Mediterranean light and culture inevitably fill all of my paintings, my way of thinking and how I feel.

I like to believe that my paintings reach distant places and people who have never seen Mediterranean light. It is a lovely idea that one of my paintings might allow them to experience the luminosity of this part of the world.

otro: los errores y virtudes de una obra son la inspiración para la siguiente. No hay tiempos, hay temas que te rondan la cabeza durante toda la vida y que al final, se materializan en una serie, a veces con la suerte de poder sintetizar en ella todo lo que has aprendido hasta el momento».

¿De cuáles de sus obras nunca se desprendería?
Conservo muchas obras de distintas etapas de mi vida, algunas porque contienen ciertas claves plásticas que me dieron pie a evolucionar como artista, otras, evidentemente, porque tienen un alto valor sentimental o personal para mí.

No colecciono nada en el sentido estricto de la palabra, pero sí tengo, afortunadamente, obra de muchos artistas (algunas de amigos o colegas, otras adquiridas, y sobre todo, mucha obra de mi mujer, Marga Llin) y acumulo también muchos libros de arte, que no dejan de ser la mejor fuente de documentación.

.

¿Se considera un pintor mediterráneo? ¿Cuál cree que es su mayor aportación?
Todo mi trabajo lo realizo entre el campo de Valencia y la costa de Mallorca, por lo que, inevitablemente, la luz y la cultura mediterránea invaden todas mis obras, mi manera de pensar y mi manera de sentir las cosas.

Me gusta saber que mis obras viajan a lugares cuyas gentes nunca han visto la luz mediterránea. Que puedan experimentar la luminosidad de nuestra cultura a través de uno de mis cuadros, es una idea bonita.

How do you think your interests as an artist have evolved?
At the moment, I am generally exploring the fundamentals
of art, becoming less direct and more thought provoking.
I am interested in the energy of contemporary art and its
search for new forms of expression.

What artistic challenges or dreams do you have for the future?
My dream is to continue painting every day!

¿Cómo considera que han evolucionado sus intereses como artista?
En este momento, mi tendencia es a ahondar en lo básico,
siendo cada vez más sugerente y menos explícito. Del arte
actual me interesa su energía y la búsqueda de nuevas formas
de expresión.

¿Qué retos o sueños artísticos le quedan por conseguir?
¡Mi sueño es seguir pintando cada día!

Royo in his studio, Villamarchante, Valencia, 2010

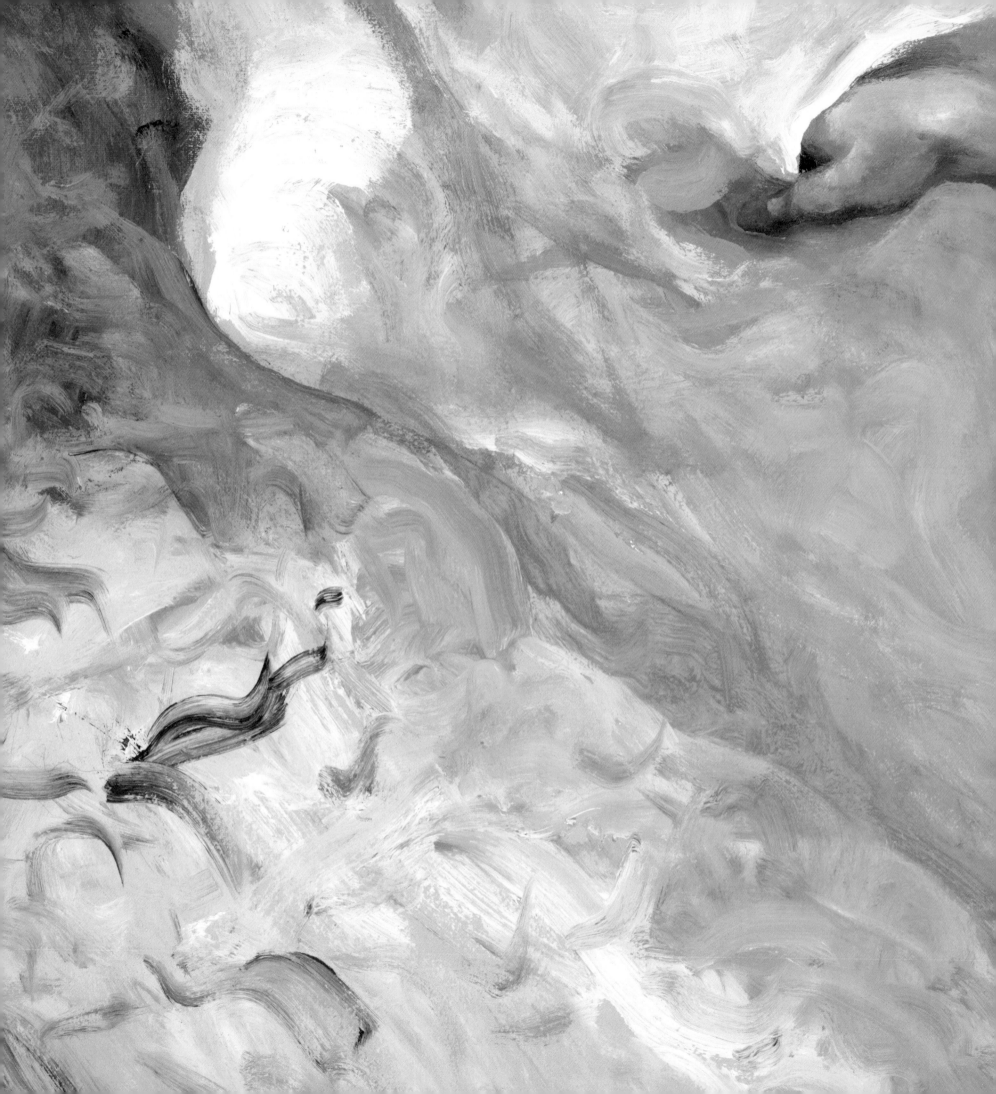

Azules
y Blancos

Azules y blancos │ 200 × 200 cm

Musa │ 117 × 188 cm

Angel del mar | 116 × 89 cm

Dibujo 1 | 130 × 215 cm

La brisa | 200 × 200 cm

El regreso | 200 × 200 cm

Atardecer | 80 × 116 cm

Amanecer | 115 × 186 cm

Danza del aire │ 89 × 116 cm

Luz a contraluz │ 80 × 100 cm

Inspiración | 89 × 116 cm

Dibujo 2 | 130 × 215 cm

Sobre blancos │ 150 × 150 cm

El paseo │ 61 × 38 cm

Claroscuro | 73 × 60 cm

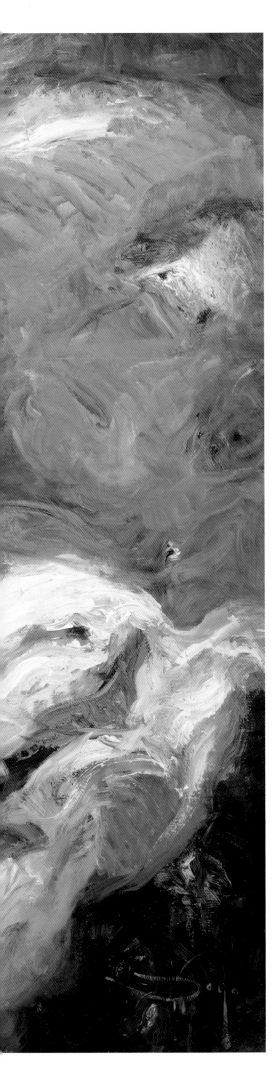

Ritmos en blancos | 89 × 116 cm

Figura | 46 × 27 cm

Verano │ 150 × 150 cm

Resplandeciente | 61 × 38 cm

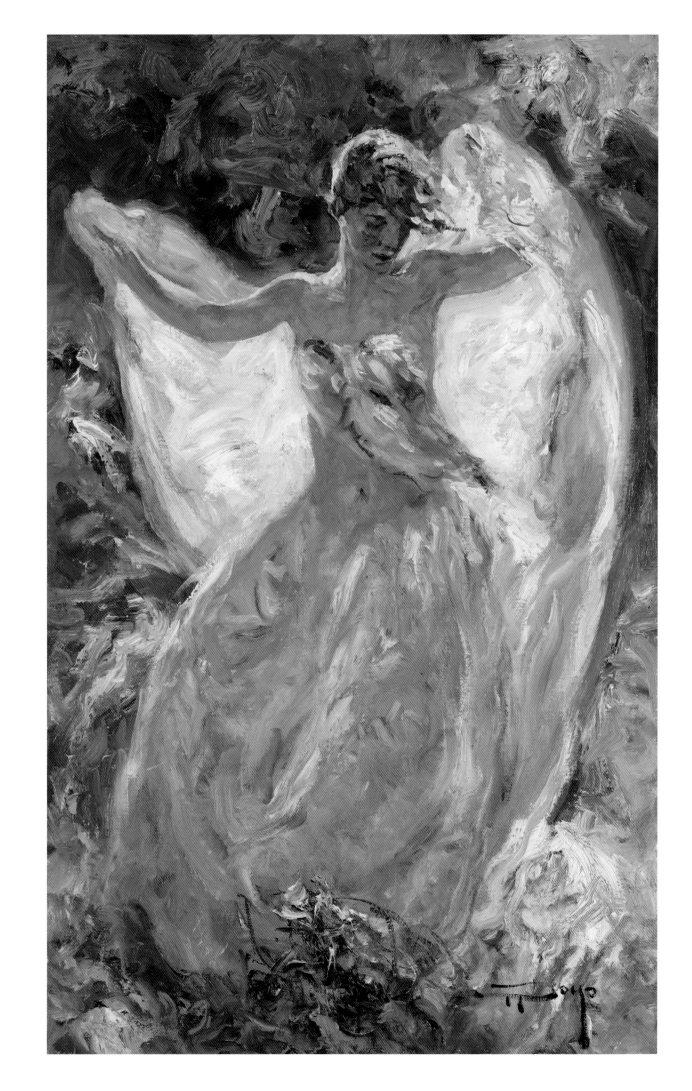

Mediterránea │ 73 × 60 cm

En las rocas | 38 × 61 cm

Dibujo 3 | 130 × 188 cm

Valencia

Primavera | 73 × 92 cm

Flores | 73 × 92 cm

Laura | 27 × 46 cm

Clásica | 38 × 61 cm

Luz de tarde │ 73 × 60 cm

Reflexión | 73 × 60 cm

La modelo | 92 × 73 cm

Flora | 55 × 38 cm

Serenidad | 55 × 38 cm

Romana | 55×38 cm

La Sombrilla Japonesa | 100 × 100 cm

El Abanico | 92 × 73 cm

Biographies

Biografías

ROYO

Spanish, b. 1941 | Español, nacido en 1941

Royo is a contemporary figurative painter whose exuberant brushstroke technique achieves intense luminosity and a sense of great vitality. 'Painting is a passion', Royo says, 'an obsession, an addiction: it is life'. Capturing the light and colour of the Mediterranean, he portrays demure young women in flowing garments, set against lush backgrounds of flowers or the vivid blue sea.

José Mateu San Hilario, known as Royo, was born in Valencia on 20 December 1941, and his desire to paint awoke in earliest childhood. He relates that a box of coloured pencils in a shop window caught his eye, revealing the rainbow of shades and tones of reality. When he was nine his father – a doctor with a strong interest in art – acknowledged his ability and began to employ private tutors to instruct him in drawing, painting and sculpture. At 14, Royo enrolled at the San Carlos Royal Academy of Fine Arts in Valencia, continuing lessons privately from the age of 18 with Adolfo Ferrer Amblar.[i] To supplement his art historical studies he visited the major museums of Europe, seeing at first hand works that would inspire and influence him, including paintings by Diego Velázquez, Francisco Goya, Claude Monet, Pierre-Auguste Renoir and Joaquín Sorolla.[ii]

In his twenties, Royo produced illustrations and theatre sets and did some restoration work as well as painting prolifically. He began to exhibit his canvases in Spain and Portugal in 1968, soon receiving commissions for portraits

Royo's home and studio in Villamarchante, Valencia

Royo es un pintor figurativo contemporáneo cuyas profusas pinceladas crean una luminosidad intensa y una sensación de enorme vitalidad. En palabras del propio Royo: «Pintar es una pasión, una obsesión, una adicción: es vida». El artista retrata a jóvenes tímidas en ropajes sueltos ante exuberantes fondos de flores o el intenso azul del mar, captando la luz y el color del Mediterráneo.

José Mateu San Hilario, más conocido como Royo, nació en Valencia el 20 de diciembre de 1941. El deseo de pintar se despertó en él desde muy niño: cuenta que una caja de lápices de colores de un escaparate captó su atención, revelándole el arco iris de tonos y colores de la realidad. Cuando tenía nueve años de edad, su padre —un médico muy aficionado al arte— reconoció su talento y empezó a emplear a profesores particulares que le instruyeran en dibujo, pintura y escultura. A los 14 años, se matriculó en la Real Academia de Bellas Artes de San Carlos de Valencia y, a partir de los 18, recibió clases particulares del Adolfo Ferrer Amblar.[i] Como complemento a sus estudios de Historia del Arte, visitó los museos más importantes de Europa, viendo así de primera mano obras de maestros que le inspirarían e influirían, como Diego Velázquez, Francisco de Goya, Claude Monet, Pierre-Auguste Renoir y Joaquín Sorolla.[ii]

En la veintena, Royo produjo ilustraciones y decorados teatrales, además de realizar algunos trabajos de restauración y de pintar prolíficamente. En 1968 empezó a exponer sus telas en España y Portugal y pronto recibió encargos

of King Juan Carlos, Queen Sofia and a number of prominent political figures. During the 1970s and 1980s he worked on mastering light and shadow, colour and vibrancy as he focused on painting the land of his birth, recreating the atmosphere and brilliant sunlight of the Mediterranean.

By 1989, Royo's mature style had developed, with iridescent colour and heavy impasto expressing the essence of southern Europe. Like Renoir, he pays tribute to the female form, depicting it with an innocent loveliness and serenity, the gaze lowered. Many of the women are adorned with flowers that add a burst of colour to the scene. Iconography includes vases and fringed shawls, beautiful in themselves and redolent of Spanish tradition.

There are parallels between Royo's art and that of Sorolla. Both have been described as 'painters of the light', and Royo evokes the startling blues of the Mediterranean under the southern sun most notably in his Mallorca works. Staying on the island each year, he uses its coastline and cliffs, its white sands and sea breezes, to heighten an already vivid palette and breathe extra life into the thick, flowing tresses of his subjects. At his estate in a village near Valencia, the settings are more tranquil, with orchards or white-painted walls as the backdrop.

'One theme dominates, sometimes becoming obsessive', writes Vicente Muñoz Puelles.[iii] 'Woman, almost always in the sun, beneath a diaphanous sky, surrounded by luxuriant vegetation and covered with light clothing.... Royo knows that clothes can make the form more mysterious, and, at the same time, more understandable. Woman as medium, as an ambassador of Nature, as creator of magical atmospheres. "If I lived a thousand years", says Royo, "I would be a thousand years restarting this subject".'

Royo | Detail from *Verano*

de retratos, como el del rey Don Juan Carlos, la reina Doña Sofía y varias figuras destacadas del mundo de la política. Durante las décadas de 1970 y 1980, centrándose en retratar la tierra que lo vio nacer, trabajó el dominio de la luz y las sombras, del color y la vitalidad, al recrear el ambiente y la luz radiante del Mediterráneo.

En 1989, el estilo maduro de Royo, que expresa la esencia del sur de Europa con colores iridiscentes y denso impasto, se había desarrollado ya. Al igual que Renoir, Royo rinde homenaje a la forma femenina, que representa serena, con la mirada baja y un encanto inocente. Muchas de sus mujeres aparecen adornadas con flores, que crean una explosión de color en la escena, y entre sus objetos icónicos se cuentan jarrones y mantones con flecos, hermosos en sí mismos y evocativos de la tradición española.

Existen paralelismos entre el arte de Royo y el de Sorolla: a ambos se les ha llamado «pintores de la luz», pero es en sus obras de Mallorca donde Royo evoca los llamativos azules del Mediterráneo bajo el sol meridional de forma más especial. Durante su estancia anual en la isla, aprovecha el litoral y los acantilados, las arenas blancas y la brisa marina para realzar su paleta, ya viva de por sí,

Emerging as distinct groupings within Royo's artistic oeuvre are several unified series, each amplifying and distilling his fascination with a particularly evocative subject. 'Sagittas' (1989–1997), which in 1998 at California's Haggin Museum became his first American exhibition, takes its name from the Latin word for 'arrow'. The idea came from seeing his daughter Lucía reading an entry in her Latin dictionary and evolved as a vision of an ancient arcadia, populated by graceful young figures garlanded with flowers and ribbons. Focusing intently on this classical concept, Royo treated it as a discipline to test what he could achieve in large formats, experimenting with composition, using the geometrical formula of the arch as a symbol. He calls 'Sagittas' a celebration of painting on 'a timeless and mythical theme: the exact moment of tension, the power and the aim of the archer … as he prepares the arrow in the bow in order to shoot and describe a light curve in space'.

The paintings, drawings, silkscreens and sculpture that form Royo's 'Genésis' (2002–2003) explore the essence of maternity. Using one of his favourite models, María, and a friend's baby, he took as his starting point the archetypal Italian Renaissance image of light pouring down onto the Virgin and Child. 'The mother, in a large shawl, protects and watches the child sitting in her lap', writes Royo. 'She is like a goddess, so calm and powerful and beautiful. The child moves; its face and arms and legs are restless…. It is maternal affection in all of its intensity and purity. It is birth, origin, principle and genesis.'

Royo painting María

e infundir más vida a las largas cabelleras sueltas de sus modelos. En su finca, en un pueblo cerca de Valencia, las escenas son más sosegadas, con vergeles o paredes blancas como telón de fondo. «Hay un tema que domina, a veces de manera obsesiva», escribe Vicente Muñoz Puelles.[iii] «La mujer, casi siempre al sol, bajo un cielo diáfano, rodeada de exuberante vegetación y cubierta con ropajes ligeros [...] Royo sabe que las ropas pueden hacer la forma más misteriosa y al mismo tiempo más comprensible. Se trata de la mujer como medio, como embajadora de la naturaleza, como creadora de ambientes mágicos. "Si viviera mil años", dice Royo, "mil años pasaría retomando este tema"».

Dentro de la obra artística de Royo, destacan varios agrupamientos de obras bien diferenciados. Se trata de series homogéneas que amplifican y destilan su fascinación por un tema especialmente evocativo; así por ejemplo, *Sagittas* (1989–1997), que conformó su primera exposición estadounidense (Museo Haggin de California, 1998), lleva por título un vocablo latino que significa «saeta» o «dardo». La idea surgió al ver a su hija Lucía leer una entrada de su diccionario de latín y evolucionó en forma de visión de una Arcadia mítica poblada por gráciles figuras juveniles engalanadas con flores y cintas. Royo se centró fijamente en este concepto clásico, utilizándolo a modo de disciplina para averiguar hasta dónde podía llegar trabajando con grandes formatos, experimentando con la composición y empleando la forma geométrica del arco a modo de símbolo. Según Royo, *Sagittas* es una celebración de la pintura mediante «un tema intemporal y mítico: el momento justo de tensión, fuerza y puntería del

Royo's third thematic collection was exhibited in Geneva; he began 'Harem' (2003–2005) after a hot, humid summer and the series is charged with the sensuality of women 'who slept and dreamed in the shadows of the azaleas ... surrounded by silk and Turkish carpets'. His is a spice-scented paradise of beauty and delight to be enjoyed and savoured. Royo explains, 'I wanted to be the accomplice to a lover who furtively observes from behind the weave of a latticework, enjoying the grace and shape of the feminine; of perfumes and melodies, of the soft touch of fabrics, their aroma pregnant with geranium and oleander'.

In the series 'Ingrávidos', unveiled in 2006, Royo explores his topic on a grander scale than previously, with figures that escape their earthbound existence. 'I have always painted the human form, its gestures, shadows, relationships with that which surrounds it', comments Royo. 'Now I felt an impulse to paint bodies in their complete fullness; to study their anatomy and beauty from all angles and every posture.' Based on the idea of weightlessness, the collection portrays floating female figures suspended or falling through the air. To capture the expressiveness of the body arched or hanging freely, defying gravity, Royo placed his models on ropes and harnesses high in his glass-ceilinged studio. 'As a philosopher, I am struck by the intangibility of [Royo's] figures which hover in corporeal to spiritual transmigration', writes art critic Carlos González López. 'Royo is a creator, and he offers us spiritual models in human form, the result of a sharp study of the emotional and psychological state of society.'[iv]

Royo's 'Mujeres' (2008) is a series that depicts six of the 12 women who have modelled for him in magnificent lifesize portraits, typically paying homage to woman as muse. He refers to his subjects as protagonists, working with him in harmony and symbiosis, creating an alchemy that is expressed

arquero [...] en el que se prepara la flecha en el arco para que vuele y describa una ligera curva en el espacio».

En la pinturas, dibujos, serigrafías y escultura que forman la serie *Génesis* (2002–2003), Royo explora la esencia de la maternidad. Para ello, empleó a una de sus modelos favoritas; María, y al bebé de una amiga de ésta, y tomó como punto de partida la imagen renacentista arquetípica de la Virgen y el Niño bañados de luz. «La madre, con un gran mantón, protege y mira al niño en su regazo», escribe Royo. «Es como una diosa: tranquila, poderosa y bellísima. El niño se mueve, su cara, sus brazos y sus piernas se agitan [...] Es el afecto maternal con toda su intensidad y pureza: el nacimiento, el origen, el principio, la génesis».

La tercera colección temática de Royo, *Harem* (2003–2005), se exhibió en Ginebra. La inició tras un verano muy caluroso y húmedo y está cargada de la sensualidad de mujeres «que dormitan o sueñan a la sombra de las azaleas [...] rodeadas de seda y alfombras kílim». Se trata de un paraíso de belleza y deleite con perfume de especias, a disfrutar y saborear. Royo explica: «He querido ser la mirada cómplice de un amante que observa furtivamente por la trama de una celosía, disfrutando de la gracia de las formas, de lo femenino, de los perfumes y melodías, del tacto suave de los tejidos, impregnados del aroma del geranio y el baladre».

En la serie *Ingrávidos*, que se presentó al público en 2006, Royo explora su tema habitual a mayor escala que en trabajos anteriores, con figuras que escapan a su existencia terrenal. «Siempre he pintado la figura humana, sus gestos, su sombra, su relación con aquello que la rodea», comenta Royo. «Pero ahora me sentía impulsado a pintar estos cuerpos en toda su plenitud, a estudiar su anatomía y su belleza desde todos los ángulos y en todas las posturas». La colección, que se basa en la idea de la ingravidez,

with affection through his brushstrokes. Eva represents the splendour of beauty, Lucía the girl-woman at the border of two worlds. In Laura he sees inhibition and composure that lend her a peculiar magnetism; Raquel's innocence is transformed into seduction. 'Before the eyes of the artist, the possibilities of the universe of women are infinite', he concludes.

Royo's career has spanned over five decades and his paintings and silkscreens have attained worldwide popularity. Several major books on his works have been published in Spanish and English, among them *Worlds Beyond the Paintbrush* (1997), *Pasión* (2000), *The Colors of Life* (2002, with CD-rom) and *Lumínica* (2005). His paintings are held in various collections, including those of the Sultan of Brunei and King Juan Carlos and Queen Sofia of Spain. Royo has participated in international art fairs and has exhibited throughout Spain, across Europe, in Japan, China and the United States, often breaking attendance records at the museums.

retrata a figuras femeninas que flotan suspendidas o caen en el aire. A fin de captar la expresividad del cuerpo arqueado o que cuelga libremente, desafiando a la gravedad, Royo colgó a sus modelos del alto techo acristalado de su estudio mediante arneses y cuerdas. El crítico de arte Carlos González López ha escrito: «Como filósofo, me impresiona en su obra la inmaterialidad de las figuras [de Royo] que levitan en una trasmigración cuerpo-alma. Creacionista, Royo nos presenta unos modelos espirituales con forma humana, resultado de un agudo estudio anímico y psíquico de la sociedad».[iv]

En la serie *Mujeres* (2008), Royo pinta a seis de las doce mujeres que han posado para él en magníficos retratos de tamaño natural, prediciblemente rindiendo tributo a la mujer como musa. Se refiere a ellas como protagonistas que trabajan con él en armonía y simbiosis, creando una alquimia que queda escrita con cariño entre sus pinceladas. Eva representa el esplendor de la belleza y Lucía la niña-mujer, a medio camino entre dos mundos. En Laura ve descaro y aplomo, que le confieren un magnetismo especial, y en Raquel, la inocencia es transformada en seducción. Royo concluye diciendo: «Las posibilidades del universo de la mujer son infinitas ante los ojos del pintor».

La carrera de Royo abarca más de cinco décadas y sus pinturas y serigrafías han alcanzado popularidad internacional. Acerca de sus trabajos se han publicado varios libros importantes, tanto en español como en inglés, entre ellos *Worlds Beyond the Paintbrush* (1997), *Pasión* (2000), *The Colors of Life* (2002, con CD-ROM) y *Lumínica* (2005), y cuadros suyos figuran en colecciones como la del sultán de Brunei o la del rey Don Juan Carlos y la reina Doña Sofía. Royo ha participado en ferias de arte internacionales y ha exhibido su obra por toda España, por Europa, en Japón, en China y en Estados Unidos, batiendo a menudo records de público en museos.

Endnotes

i   Adolfo Ferrer Amblar was Chairman of Art Studies at the
    San Carlos Academy.

ii Painter Diego Rodríguez de Silva y Velázquez (1599–1660)
    was Spain's greatest Baroque artist; Francisco José de Goya
    y Lucientes (1746–1828) was a Spanish painter and printmaker
    whose revolutionary work reflects the period of social change
    in which he lived. Claude-Oscar Monet (1840–1926) was the
    originator of the Impressionist style and leader of the group
    of Impressionist artists in Paris in the 1870s and 1880s;
    one of the foremost Impressionist painters, Pierre-Auguste
    Renoir (1841–1919) was notable for his portrayal of the human
    figure – especially the female form – and for his pursuit of
    beauty as much as immediacy in representation. Joaquín
    Sorolla y Bastida (1863–1923), like Royo born in Valencia and
    classically trained, is known for his light-filled paintings of
    life under the Mediterranean sun.

iii 'Royo or the Passion for Painting' in *Royo: Pasión* (Valencia,
    2000), p. 21; Vicente Muñoz Puelles is a novelist and author
    of children's books.

iv Halcyon Gallery, *Royo ingrávidos*, exhibition catalogue
    (London, 2008), p. 6; Carlos González López is Correspondent
    to the Royal Academy of Fine Arts of San Fernando, and art
    critic for the Worldwide Organisation of the Printed Press.

Notas

i   Adolfo Ferrer Amblar fue Director de Estudios Artísticos de la
    Academia de San Carlos.

ii El pintor Diego Rodríguez de Silva y Velázquez (1599–1660)
    fue el mayor artista barroco español; Francisco José de Goya
    y Lucientes (1746–1828) fue un pintor y grabador español
    cuya revolucionaria obra refleja el periodo de cambio social
    durante el que vivió. Claude-Oscar Monet (1840–1926) fue el
    creador del estilo impresionista y líder de un grupo de artistas
    impresionistas en París en la década de 1870 y 1880; Pierre-
    Auguste Renoir (1841–1919), uno de los pintores impresionistas
    más destacados, se distinguió por su representación de la
    figura humana —en especial de la forma femenina— y por
    su búsqueda tanto de la belleza como de la inmediatez en la
    representación. Joaquín Sorolla y Bastida (1863–1923), que al
    igual que Royo nació en Valencia y recibió formación clásica,
    es conocido por sus pinturas de la vida bajo el sol mediterráneo
    rebosantes de luz.

iii «Royo o la pasión por la pintura» en *Royo: Pasión* (Valencia,
    2000), p. 21; Vicente Muñoz Puelles es novelista y autor de
    libros infantiles.

iv Halcyon Gallery, *Royo ingrávidos*, catálogo de la exposición
    (Londres, 2008), p. 6; Carlos González López es
    correspondiente de la Real Academia de Bellas Artes de
    San Fernando y crítico de arte de la Organisation Mondiale
    de la Presse Périodique.

FELIPE VICENTE GARÍN LLOMBART

Spanish, b. 1943 | Español, nacido en 1943

Felipe Vicente Garín Llombart, born in Valencia in 1943, holds a doctorate in Philosophy and Letters (History) and a degree in Law. He was director of the 'González Martí' National Ceramics Museum of Valencia (1972–1987), then its chairman (1987–1992), and director and curator of the Saint Pius V Museum of Fine Arts of Valencia (1968–1990). From 1991 to 1993 he held the post of director of the Prado National Museum in Madrid. Following that, he became director and co-ordinator of the Institute of Conservation and Restoration of Cultural Assets (ICRBC) of the Spanish Ministry of Culture (1993–1995). Since 2005 he has been scientific advisor on exhibitions for the Ministry of Culture and Sports of the Valencian government. He is a corresponding lecturer at the Royal Academy of Fine Arts of San Fernando, Madrid, and a member of the board of trustees of the Sorolla Museum Foundation in Madrid. From 1980 to 2007 he served as a member of the Ministry of Culture's Council for Classification, Valuation and Export of Spain's Historical Assets.

Currently Professor of the History of Art at the Polytechnic University of Valencia, Garín Llombart has worked abroad as director of the Cervantes Institute, Rome (1995–1996), and he was director of the Spanish Royal Academy in Rome from 1996 to 2002. Since 1974 he has been a corresponding member of the Hispanic Society of America, New York, and he is a member of the International Council of Museums (ICOM).

Garín Llombart has curated many exhibitions, among them *The Fifteenth Century in Valencia* (Valencia–Madrid, 1973), *Joan de Juanes* (Valencia–Madrid, 1979–1980), *Ignacio Pinazo* (Valencia–Madrid, 1981), *Sorolla's Works from Havana* (Valencia, Madrid, Barcelona, Alicante and Palma, 1985), *Pinazo: a Hundred Years of Artistic Expression* (Valencia–Alicante, 1990–1991) and, during his stay in Rome, *Benlliure, a Family Portrait* (Rome–

Felipe Vicente Garín Llombart nació en Valencia en 1943. Es doctor en Filosofía y Letras, Sección de Historia, y licenciado en Derecho. Ha sido Director del Museo Nacional de Cerámica «González Martí» (1972–1987), después Presidente del mismo (1987-1992) y Director-Conservador del Museo de Bellas Artes San Pío V de Valencia (1968–1990). Entre 1991 y 1993, ejerció como Director del Museo Nacional del Prado, Madrid. Fue Director-Coordinador del Instituto de Conservación y Restauración de Bienes Culturales (ICRBC) del Ministerio de Cultura Español (1993–1995). Desde 2005 es Asesor Científico de exposiciones para la Consellería de Cultura y Deporte de la Generalitat Valenciana. Es académico correspondiente de la Real Academia de Bellas Artes de San Fernando, Madrid. Miembro del Patronato de la Fundación Museo Sorolla, Madrid. Fué vocal de la Junta de Calificación Valoración y Exportación de Bienes del Patrimonio Histórico Español del Ministerio de Cultura (1980–2007).

Actualmente ejerce como Catedrático de Historia del Arte en la Universidad Politécnica de Valencia. En el extranjero, entre los años 1995 y 1996, fue Director del Instituto Cervantes de Roma y Director de la Real Academia de España en Roma entre 1996 y 2002. Es Miembro desde 1974 de la Hispanic Society of America, Nueva York y Miembro del Consejo Internacional de Museos (ICOM).

Ha sido comisario de numerosas exposiciones, destacando entre ellas *El siglo XV valenciano* (Valencia–Madrid, 1973), *Joan de Juanes* (Valencia–Madrid, 1979–1980), *Ignacio Pinazo*, (Valencia–Madrid, 1981), *Los Sorolla de La Habana* (Valencia, Madrid, Barcelona, Alicante y Palma, 1985), *Los Pinazo. Cien años de expresión artística* (Valencia–Alicante, 1990–1991), y durante su estancia en Roma, *Los Benlliure, retrato de familia*, (Roma–Valencia,

Valencia, 1998), *Precious Paintings from the Carmen Thyssen Collection* (Catania–Rome–Valencia, 1999), *Velázquez's Third Trip to Italy* (Rome, 2001) and *The Borgias: the Art of Power* (Valencia–Rome, 2002). Recent exhibitions include *Sorolla's Vision of Spain* (Valencia and other Spanish cities, 2007–2009) and *The Light of Images: the Glory of the Baroque* (Valencia, 2009–2010).

Garín Llombart has published many scholarly works in his areas of specialism, principally on art theory, museum studies and fifteenth-, sixteenth- and nineteenth-century painting, and on the history of the Museum of Fine Arts, Valencia, and the Prado. Since 1998 he has written several books and articles on Joaquín Sorolla. Spain's Ministry of Culture awarded him the Silver Medal for Merit in the Fine Arts (1982); in 1994 he was appointed Official of the Order of Merit of the Italian Republic; and in 2002 he was appointed Commander of the Order of Civil Merit of Spain.

1998), *Pintura preciosista de la Colección Carmen Thyssen*, (Catania, Roma, Valencia, 1999), *Velázquez, su tercer viaje a Italia* (Roma, 2001), *I Borgia, l'arte del potere*, (Valencia–Roma, 2002) *La visión de España de Sorolla* (Valencia y otras ciudades españolas, 2007–2009), *La luz de las imágenes. La gloria del Barroco* (Valencia, 2009–2010).

Ha publicado numerosos trabajos científicos sobre las materias de su especialidad, principalmente sobre teoría, museología, pintura de los siglos XV, XVI y XIX, así como sobre la historia del Museo de Valencia y del Museo del Prado. Desde 1998 ha escrito sobre Joaquín Sorolla diversos artículos científicos y libros. Además ha sido condecorado en 1982 con la Medalla de Plata al Mérito en Bellas Artes por el Ministerio de Cultura de España, en 1994 Oficial de la Orden al Mérito de la República Italiana y en 2002 Encomienda de Número de la Orden al Mérito Civil de España.

CARLOS GARCÍA-OSUNA

Spanish, b. 1951 | Español, nacido en 1951

Carlos García-Osuna, born in León in 1951, holds a doctorate in Journalism and a degree in Political Science and Sociology. He has had published over 10,000 articles and some 20 books of essays and literary works, including *El ocio de los españoles entre 1977 y 1989* (four volumes), *Guía de antigüedades, arte y coleccionismo, Yo, Vincent van Gogh, La mujer española hoy* and *Los ojos habitados.*

García-Osuna has directed the programme *El Espejo Cultural de España* (*The Cultural Mirror of Spain*), transmitted by the radio network Cadena Cope, and won the coveted Ondas Award in 1987. In the same year he was awarded first prize as Spanish curator at the Budapest *Sculpture Biennial.* For ten years he directed *Punto por Punto*, a cultural show broadcast by the Spanish television channel Televisión Española (TVE).

In Spain and more than 30 other countries, García-Osuna has lectured at conferences on theatre, literature and art. He has been an art critic in Madrid for the past 35 years, publishing articles in the most prestigious Spanish newspapers: *Informaciones, ABC, El Imparcial, Ya, Expansión, El Independiente, Tiempo, La Razón* and *El Economista.*

As an art market expert, García-Osuna works for two newspapers, managing the collectors' and investors' section in the 'Dinero' supplement of *La Vanguardia* and the 'El Cultural' supplement of *El Mundo.* He is also currently editor of the fine art magazine *Tendencias del Mercado del Arte.*

Carlos García-Osuna nació en León en 1951, es doctor en Ciencias de la Información y licenciado en Ciencias Políticas y Sociología. Ha publicado más de 10.000 artículos en la prensa, una veintena de libros de ensayo y creación literaria, entre ellos *El ocio de los españoles entre 1977 y 1989* (cuatro tomos), *Guía de antigüedades, arte y coleccionismo, Yo, Vincent van Gogh, La mujer española hoy, Los Ojos Habitados,* etc.

Ha dirigido el programa radiofónico *El Espejo Cultural de España* que emitía la Cadena Cope (Premio Ondas 1987), y ese mismo año, como comisario español, consiguió el primer premio en la Bienal de Escultura de Budapest. Durante diez años dirigió el programa cultural *Punto por Punto* que emitía Televisión Española.

Ha pronunciado conferencias sobre teatro, literatura y arte en España y en más de treinta países. Ha ejercido la crítica de arte en los últimos treinta y cinco años en Madrid en los diarios españoles más prestigiosos: *Informaciones, ABC, El Imparcial, Ya, Expansión, El Independiente, Tiempo, La Razón, El Economista.* Como experto en mercado del arte, tiene a su cargo las secciones de coleccionismo e inversión en el suplemento *Dinero* del diario *La Vanguardia,* y en *El Cultural* del diario *El Mundo,* y actualmente es editor de la revista *Tendencias del Mercado del Arte.*

Picture List

Lista de cuadros

AZULES Y BLANCOS

All works are oil on canvas unless otherwise stated

Amanecer | 115 × 186 cm
Page 32

Angel del mar | 116 × 89 cm
Page 23

Atardecer | 80 × 116 cm
Page 31

Azules y blancos | 200 × 200 cm
Page 19

Claroscuro | 73 × 60 cm
Page 47

Danza del aire | 89 × 116 cm
Page 35

Dibujo 1 | 130 × 215 cm
Pencil drawing
Page 24

Dibujo 2 | 130 × 215 cm
Pencil drawing
Page 40

Dibujo 3 | 130 × 188 cm
Pencil drawing
Page 60

El paseo | 61 × 38 cm
Page 45

El regreso | 200 × 200 cm
Page 29

En las rocas | 38 × 61 cm
Page 59

Figura | 46 × 27 cm
Page 51

Inspiración | 89 × 116 cm
Page 38

La brisa | 200 × 200 cm
Page 27

Luz a contraluz | 80 × 100 cm
Page 37

Musa | 117 × 188 cm
Page 21

Mediterránea | 73 × 60 cm
Page 57

Sobre blancos | 150 × 150 cm
Page 43

Resplandeciente | 61 × 38 cm
Page 55

Ritmos en blancos | 89 × 116 cm
Page 48

Verano | 150 × 150 cm
Page 53

VALENCIA

Clásica | 38 × 61 cm
Page 67

El Abanico | 92 × 73 cm
Page 75

Flora | 55 × 38 cm
Page 71

Flores | 73 × 92 cm
Page 65

La modelo | 92 × 73 cm
Page 70

La Sombrilla Japonesa |
100 × 100 cm
Page 74

Laura | 27 × 46 cm
Page 66

Luz de tarde | 73 × 60 cm
Page 68

Primavera | 73 × 92 cm
Page 64

Reflexión | 73 × 60 cm
Page 69

Romana | 55 × 38 cm
Page 73

Serenidad | 55 × 38 cm
Page 72

ACKNOWLEDGEMENTS | AGRADECIMIENTOS

I want to thank Halcyon Gallery and everyone who has made this exhibition a reality. Without your help none of this would have been possible.

Thank you all,

Royo.

Quiero dar las gracias a la Galería Halcyon y a todos los que han ayudado hacer esta exposición una realidad. Sin vosotros nada de esto hubiera sido posible.

Gracias a todos,

Royo.

First published in the United Kingdom by

HALCYON GALLERY
24 Bruton Street
London W1J 6QQ

T +44 (0)20 7659 7640

F +44 (0)20 7495 4741

info@halcyongallery.com
www.halcyongallery.com

ISBN-13 978-0-9548455-6-8